C000151757

AS/A2 Le'
Reading C
Practice Tests
2006

FRENCH

EDITOR: MARIE DELUMEAU

AS/A2 Level Reading Comprehension Practice Tests 2006 is produced by Authentik Language Learning Resources Ltd., a campus company of Trinity College, Dublin, 27 Westland Square, Dublin 2, Ireland.

Tests were designed by Marie Delumeau and Marian Jones.

Special thanks to Véronique Gauthier.

Designed by Tom Doyle.
Cover design by Kevin Kennedy.

Every reasonable effort has been made to contact copyright holders of the material used in this publication. If copyright has been inadvertently breached, please contact the company.

ISBN 1 871730 88 0

Authentik

GUIDELINES FOR TEACHERS

AS/A2 Level Reading Comprehension Practice Tests 2006 consists of authentic reading material and practice test questions. This book is ideal for practising, improving and building up students' reading skills in preparation for the AS/A2 Level and Irish Leaving Certificate exams. For each of the 15 tests, the solutions are also provided.

AS LEVEL / A2 LEVEL

- Test 1 – 6: These tests have been designed with AS Level students in mind. A2 Level and Irish Leaving Certificate students should work through AS Level tests first.
- Tests 7 – 9: These tests contain two sets of questions, one at AS and one at A2 Level.
- Test 10 – 15: These tests have been created with A2 Level students in mind.

TESTS

- The tests reflect a variety of exam tasks ranging from comprehension questions, true/false and multiple-choice questions to grid and gap-filling tasks, completing sentences, summarising information etc. The majority of test questions in this book are set in the target language, reflecting the current trend in exam formats.
- The order in which the tests are arranged in the book does not indicate an order of difficulty or progression.
- AS Level tests contain predominantly guiding questions, and answers generally require less detail than A2 Level test questions.
- A2 Level tests contain a number of open questions, and the answers generally require some detail. The task types are tailored to the requirements of the A2 Level examination.

SOLUTIONS

- The answers to all questions are given on the fourth page of each test.
- Where students are asked to mention one, two or three details, the full range of possible answers is given.
- Translations are provided as a general guideline. It is important to bear in mind that there is not one correct answer and that variations are acceptable provided the meaning remains accurate.

PHOTOCOPYING

AS/A2 Level Reading Comprehension Practice Tests 2006 is a photocopiable resource. Individual purchasers may make copies of the tests for their own use or for use by classes they teach. School purchasers may make copies for use by their staff and students, but the permission does not extend to additional schools. Under no circumstances may any part of the book be copied for resale.

GUIDELINES FOR STUDENTS

Reading, you'll be glad to hear, is a skill which can be acquired.

The *AS/A2 Level Reading Comprehension Practice Tests 2006* will help you prepare for the reading comprehension paper in your AS/A2 exams. Some of the texts may even be more difficult than those you can expect to come across in your exam, but if you can answer the questions in these tests you will be well equipped to face the real exam. To help you, we have put together some tips on how to deal with the tests.

EXAMINATION FORMAT

Make sure you are familiar with the format of your exam.

- How long is the exam?
- How many texts are you expected to read?
- What type of texts has come up in past papers?
- What type of questions is normally asked in a reading exam?
- Where do you write your answers?
- How much detail are you required to provide?
- Do you have to answer in English or in French?
- Are you allowed to use a dictionary?

Exam formats change slightly from one exam board to another. If you are in any doubt, check the specific details with your teacher.

READING TIPS

Ask yourself the following questions...

BEFORE READING THE TEXT

- What type of text is it?
- Where is it taken from?
- Who is the text aimed at?
- What is the field/area dealt with in this text?

WHEN READING THE TEXT

- What is the main tense in the text?
- How many other tenses do you recognise in the text?
- Are the sentences long or short?
- Can you find any conjunctions in the sentences?
- Is the tone of the text formal or informal?
- Are there any passages in direct or indirect speech?

WHEN READING THE INSTRUCTIONS

- Do you understand what you are required to do? e.g. are you asked to find the CORRECT statements or the INCORRECT statements?
- How much detail are you required to provide?
- Do you have to answer in English or French?

WHEN THINKING ABOUT YOUR ANSWERS

- How many points of view can you find in the text?
- What can you relate to in this text?
- Do you have any personal experiences relating to the subject of the text?

The more texts you read the more proficient you will become at answering test questions. You will also learn to analyse how and what you read in a much more efficient manner.

AND FINALLY...

Don't be discouraged if at first you don't do as well as you hoped. Your reading skills will improve with practice and perseverance!

AS LEVEL

L'année de la physique lancée en France

C.D.

L'année mondiale de la physique est officiellement lancée aujourd'hui en France, à Lyon, où l'Académie des Sciences tient exceptionnellement sa réunion hebdomadaire ce mardi 25 janvier. 2005 marque le centenaire de l'Année Miraculeuse d'Albert Einstein. À l'été 1905, le jeune chercheur de 26 ans publie cinq articles fondateurs dans la prestigieuse revue Annalen der Physik dirigée par un physicien déjà confirmé, Max Planck. Einstein pose alors les bases de la relativité restreinte, prélude à la relativité générale élaborée en 1907 puis 1915.

Au-delà du centenaire, l'année mondiale de la physique permet de populariser ce domaine de recherche, de faire connaître toutes ses applications, d'organiser des débats, de tenter d'améliorer l'image d'une discipline réputée ardue qui attire de moins en moins d'étudiants. L'idée de cette année de célébrations est née dès décembre 2000 à Berlin lors d'un congrès mondial des Sociétés de physique. Elle a été reprise par la Société européenne de physique (EPS), l'Union internationale de physique pure et appliquée (IUPAP) puis adoptée par l'UNESCO en novembre 2003.

En France de nombreuses manifestations - au moins 200 - seront organisées tout au long de l'année. Elles sont répertoriées par thème ou par région sur le site officiel français de l'Année de la physique. Une bonne occasion pour réviser ou s'initier aux grands thèmes de la physique via des expositions, des conférences, des spectacles... Plusieurs actions se dérouleront également dans les écoles.

25 janvier 2005

AS LEVEL

TEST 1 : SCIENCES

1. **Lis le texte « L'année de la physique lancée en France ». Numérote les paragraphes et choisis le sous-titre correspondant à chaque paragraphe.**

(a) Les objectifs de l'année mondiale de la physique. § _____

(b) Pourquoi une année mondiale de la physique en 2005? § _____

(c) Les célébrations en France. § _____

2. **Lis le résumé suivant et complète les blancs avec les mots de la liste.**

> *scientifique*
>
> *objectif*
>
> *lancement*
>
> *fêter*
>
> *participeront*
>
> *anniversaire*

Le 25 janvier 2005 marque le (a) _____ officiel de l'année de la physique. L' (b) _____ est de faire mieux connaître cette discipline (c) _____ grâce à plusieurs manifestations. Il s'agit aussi de (d) _____ le centième (e) _____ des débuts de la recherche d'Einstein sur la relativité. En France, des écoles (f) _____ aux célébrations.

AS LEVEL

3. **Réponds aux questions qui suivent.**

(a) Où se trouve l'Académie des Sciences en France ?

_____

(b) À quel âge Albert Einstein connaît-il une Année Miraculeuse ?

_____

(c) Quel est le problème de la physique avec les jeunes ?

_____

(d) En quelle année a-t-on proposé cette idée ?

_____

(e) Où peut-on trouver des renseignements sur l'année de la physique en France ?

_____

4. **Trouve dans le texte les synonymes des expressions suivantes.**

(a) toutes les semaines : _____

(b) centième anniversaire : _____

(c) difficile : _____

(d) classées : _____

(e) auront lieu : _____

TEST 1: SCIENCES

1. (a) § 2 ; (b) § 1 ; (c) § 3.

2. (a) lancement ; (b) objectif ; (c) scientifique ; (d) fêter ; (e) anniversaire ; (f) participeront.

3. (a) à Lyon ; (b) à 26 ans ; (c) elle attire de moins en moins de jeunes ; (d) en 2000 ; (e) sur le site Internet de l'Année de la physique.

4. (a) hebdomadaire ; (b) centenaire ; (c) ardue ; (d) répertoriées ; (e) se dérouleront.

« L'avenir, ça commence après le bac »

Propos recueillis par Caroline Brizard, Marie-Amélie Carpio, Isabelle Monnin et Olivier Péretié

Anaïs, 15 ans, Paris : « Ma vie sera intense et longue. Mon rêve, c'est de faire de la musique ou du cinéma. Si je ne suis pas devant la caméra, je serai derrière. Après le lycée, je ferai une école de théâtre pour entrer au Conservatoire. Je voudrais aussi faire une année d'humanitaire dans ma vie et je veux avoir une petite fille, peut-être pour lui donner ce que je n'ai pas eu de ma mère. »

Virgile, 16 ans, Colombes : « Mon avenir ? Franchement pépère. Ma vie idéale, c'est d'être dans un pays où il n'y a pas de guerre, manger à ma faim sans trop avoir à bosser, mais faire un métier que j'aime. Ce qui me plairait, c'est de la recherche en physique ou en maths. Mon objectif : maths sup, maths spé et une école d'ingénieur. »

Sophie, 16 ans, Aix-en-Provence : « Je suis comme tous les jeunes qui se demandent ce qu'ils vont faire après le bac. Mais ça ne m'angoisse pas trop, je trouverai toujours quelque chose que j'aimerai faire. Pour l'instant, je fais des études et c'est très bien. Je ne suis pas une stressée de la vie, ni d'une génération très stressée. Tout ce que j'imagine, c'est bouger, voyager, faire un métier intéressant, avoir un mari sympa, une belle maison, et en profiter à fond. »

Cindy, 18 ans, Paris : « L'avenir, ça commence après le bac. Je veux faire un métier en libéral, sans patron au-dessus de moi, sans quelqu'un qui m'impose des règles ou des tâches, sans horaires rigides et chiants. Pour rien au monde je ne serais fonctionnaire. Artiste ? Non plus, parce que je n'ai pas de talent. Non, je me verrais peut-être dans la com (*communication*). L'univers des adultes ne me fait pas peur. J'ai même pas peur de pas avoir de job. Je voudrais être beaucoup plus libre. Ma vie, je la trouve chiante. Y a trop de routine et pas assez de folie. Quand j'entends mon père raconter sa jeunesse, je vois bien qu'ils s'éclataient beaucoup plus à son époque... »

le nouvel Observateur

3-9 mars 2005

AS LEVEL

TEST 2 : APRÈS-BAC

1. Lis l'article et résume le thème du texte en une phrase.

_____

2. Réponds aux questions avec le ou les prénom(s) correct(s).

(a) Qui ne veut pas travailler trop dur ?

_____

(b) Qui voudrait peut-être travailler de façon indépendante ?

_____

(c) Qui pense suivre un métier créatif ?

_____

(d) Qui ne veut pas travailler à heures fixes ?

_____

(e) Qui n'a pas de projets après les examens ?

_____

(f) Qui rêve d'être parent ?

_____

(g) Qui s'ennuie du quotidien ?

_____

(h) Qui se voit dans un métier technique ?

_____

(i) Qui reste calme face à un avenir incertain ?

_____

AS LEVEL

3. Complète chaque phrase, suivant le sens du texte.

(a) Après le lycée, Anaïs espère _____

(b) Comme elle veut aider les autres, elle va _____

(c) L'enfance de sa fille sera très différente de _____

(d) Virgile est complètement contre _____

(e) Il aimerait travailler comme _____

(f) En ce moment, Sophie est _____

(g) Elle ne sait pas ce qu'elle _____

(h) Cindy est sûre qu'elle ne veut pas travailler comme _____

(i) Elle accepte qu'elle n'aura peut-être pas _____

4. Trouve les expressions équivalentes dans le texte.

(a) What I'd like is :

_____

(b) My goal :

_____

(c) It doesn't worry me too much :

_____

(d) To make the most of it :

_____

(e) Nothing on earth :

_____

(f) I'd see myself in :

_____

5. Et toi ? Comment vois-tu ton avenir ? Qu'est-ce qui sera important dans ta vie ? Écris environ 100 mots.

_____

_____

_____

_____

_____

_____

_____

_____

_____

TEST 2 : APRÈS-BAC

1. Quatre jeunes parlent de leurs rêves pour l'avenir.

2. (a) Virgile ; (b) Cindy ; (c) Anaïs ; (d) Cindy ; (e) Sophie ; (f) Anaïs ; (g) Cindy ; (h) Virgile ; (i) Sophie.

3. (a) faire une école de théâtre ; (b) faire une année dans l'humanitaire ; (c) son enfance / son enfance à elle / la sienne ; (d) la guerre ; (e) ingénieur ; (f) étudiante ; (g) fera après le bac ; (h) fonctionnaire ; (i) de job / de travail / d'emploi.

4. (a) Ce qui me plairait, c'est … ; (b) Mon objectif ; (c) Ça ne m'angoisse pas trop ; (d) En profiter à fond ; (e) Pour rien au monde ; (f) Je me verrais dans …

5. *Possible answer:* Mon avenir est quelque chose à laquelle je pense beaucoup. Pour moi, il est important qu'on y réfléchisse de bonne heure, pour avoir une idée de ce que l'on veut faire. Je voudrais devenir médecin ou faire un métier dans le domaine médical parce qu'aider les gens, c'est très important pour moi. Je sais que les études sont difficiles mais je suis prêt à tout ! Évidemment, j'aimerais aussi avoir une vie de famille heureuse avec une belle maison et des enfants, mais pas forcément dans mon pays d'origine. Voyager ou habiter à l'étranger ne me déplairait pas !

AS LEVEL

Les enfants en surpoids plus souvent devant la télé

La télévision est-elle à l'origine de la prise de poids des enfants ?

Pierre Kaldy

Les petits Français en surpoids sont-ils plus souvent devant la télé comme cela a déjà été montré pour leurs homologues américains ? Oui indique une étude effectuée par l'Institut de Veille Sanitaire (InVS) auprès de 963 enfants en 6e de Haute-Savoie.

Ces derniers ont répondu à un questionnaire portant sur leurs habitudes alimentaires, leur utilisation de la télévision et la pratique régulière d'un sport. Le surpoids ou l'obésité, définis par un indice de masse corporelle (IMC) supérieur respectivement à 25 et 30, ont été déterminés pour les enfants âgés de 11-12 ans et lorsqu'ils avaient 5-7 ans.

Les enfants ayant un poids supérieur à la normale sont proportionnellement plus nombreux à regarder la télévision le soir après l'école, les après-midis des jours de repos, et plus de deux fois par jour les jours de classe. Les enfants en surpoids étaient aussi plus nombreux à jouer plus de deux fois par jour à des jeux vidéo. L'enquête montre que ces enfants sont par contre moins nombreux à prendre un goûter le matin ou l'après-midi et à respecter les 4 prises alimentaires quotidiennes bien que les auteurs de l'enquête n'excluent pas que les enfants aient minoré certaines de leurs réponses.

Enfin, près de la moitié des enfants en surpoids (44%) présentaient déjà cet état à l'âge de 5-7 ans, une précocité qui pourrait servir d'indice pour dépister les enfants à risque.

Le lien entre l'absence de pratique régulière d'un sport et le surpoids n'est pas avéré dans l'étude. Il reste maintenant aux chercheurs à déterminer dans quelle mesure le fait de regarder fréquemment la télévision favorise vraiment la prise de poids chez les enfants outre le fait qu'elle peut être un prétexte pour grignoter...

11 février 2005

AS LEVEL

TEST 3 : SANTÉ

1. Lis le texte et termine ces phrases en choisissant l'option correcte parmi celles proposées.

(a) On a voulu savoir si les enfants prennent du poids parce qu'ils (ne mangent pas assez / font trop de sport / regardent trop la télé).

_____

(b) Une étude similaire a été faite (en France / aux États-Unis / en Haute-Savoie).

_____

(c) Les enfants devaient (suivre un régime stricte / regarder la télévision toute la journée / répondre à des questions).

_____

(d) On a trouvé que les enfants en surpoids (passent plus de temps devant la télé que les autres / regardent de moins en moins la télé / ne font pas assez de sport).

_____

2. Complète les phrases ci-dessous avec les chiffres manquants, en t'aidant du texte.

(a) On a demandé à _____ enfants français de répondre à des questions concernant leur mode de vie.

(b) Ils étaient tous en classe de _____ .

(c) Ces enfants étaient donc âgés de _____ ans environ.

(d) On a aussi évalué leur poids quand ils avaient _____ ans.

(e) _____ des enfants en surpoids avaient déjà un poids supérieur à la normale à l'âge de 5-7 ans.

AS LEVEL

3. **Answer the following questions in English, using your own words.**

(a) What questions did the children answer ?

_____

(b) When did overweight children watch TV mostly ?

_____

(c) How many times did they watch TV on a school day ?

_____

(d) What did the study fail to prove ?

_____

(e) Why do researchers need to carry out further studies ?

_____

4. **En t'aidant du texte, écris 4 conseils pour éviter que les enfants ne prennent trop de poids.**

(a) Il est conseillé de _____

_____

(b) Il faut _____

_____

(c) Il est préférable de _____

_____

(d) Les enfants devraient _____

_____

TEST 3 : SANTÉ

1. (a) regardent trop la télé ; aux États-Unis ; (c) répondre à des questions ; (d) passent plus de temps devant la télé que les autres.

2. (a) 963 ; (b) 6ème ; (c) 12 ; (d) 5-7 ; (e) 44%.

3. (a) what their eating habits were, how often did they watch TV and if they practiced sports ; (b) In the evening after school and in the afternoon during their free days ; (c) more than twice a day ; (d) the link between not doing any sport and being overweight ; (e) because they must show how watching TV often can induce weight gain amongst children.

4. (a) Il est conseillé de ne pas trop regarder la télévision ; (b) Il faut éviter de trop jouer aux jeux vidéo ; (c) Il est préférable de manger quatre fois par jour ; (d) Les enfants devraient faire plus de sport.

Je flippe non-stop !

« Je ne sais pas pourquoi mais dans n'importe quelle situation : examen, rendez-vous avec mon mec, sorties entre copines, discussion avec mes parents ou autres, j'angoisse complètement ! Le pire c'est que ça se traduit physiquement. J'ai mal au ventre, la nausée, des migraines, des sueurs, etc… Que dois-je faire ? »

Alicia, des Vosges

Tu souffres d'une mauvaise gestion de tes émotions et rassure-toi, tu n'es pas la seule à vivre ces moments de panique. Cependant, avec quelques petites astuces, tu devrais réussir à les canaliser, mieux, à les maîtriser. Tout d'abord, privilégie les gestes plutôt que la parole. Les mots, c'est important évidemment mais 90% des messages affectifs passent par l'expression du corps et du visage… Un sourire, un mouvement de recul ou un haussement d'épaule en disent bien plus qu'un long discours. Ton corps doit bouger et se mouvoir en adhésion avec ce que ton intellect ressent. Tu peux aussi écrire un journal intime pour mettre des mots sur tes expériences, tes secrets, tes tensions, tes envies, tes besoins, tes colères, tes attentes, etc.

Exactement comme si tu te confiais à un ami, à un confident. L'expression narrative va te faire revivre « l'émotion » en question et t'aider à la sortir définitivement. Essaie de développer ta propre créativité en t'inscrivant à un cours artistique (théâtre, chant, peinture, etc…). Apprends à respirer profondément, il suffit de quelques minutes de concentration pour installer un rythme respiratoire régulier et profond, lequel va te plonger dans un sentiment de calme et de plénitude. Et enfin, lorsque tu as face à toi un interlocuteur qui te fait « flipper », regarde le juste entre les deux yeux en fixant un point invisible. Lui pensera que tu soutiens son regard avec assurance, et toi, tu pourras te concentrer sur ce que tu dis sans extrapoler sur ce que tu lis dans ses yeux… Tu verras, ça marche !

SaluT

n°120, février 2005

AS LEVEL

TEST 4 : JE FLIPPE NON-STOP !

I. Lis la lettre d'Alicia et résume en une phrase son problème.

_____

2. Parmi les affirmations suivantes, coche celles qui sont correctes.

   (a) Quand elle angoisse, Alicia a mal aux dents. ❏

   (b) Quand elle angoisse, Alicia a des maux de tête. ❏

   (c) Quand elle angoisse, Alicia transpire. ❏

   (d) Quand elle angoisse, Alicia n'a pas faim. ❏

   (e) Quand elle angoisse, Alicia a envie de vomir. ❏

   (f) Quand elle angoisse, Alicia n'a pas peur de parler à ses parents. ❏

   (g) Quand elle angoisse, l'estomac d'Alicia la fait souffrir. ❏

3. Lis la réponse à la lettre d'Alicia. Combien d'astuces propose-t-on ? Réponds avec une phrase complète.

_____

_____

_____

AS LEVEL

4. **Voici les titres résumant chaque astuce. Indique pour chacun le numéro de l'astuce auquel il correspond dans l'ordre du texte.**

(a) Le regard   astuce n°_____

(b) La respiration   astuce n°_____

(c) L'écriture   astuce n°_____

(d) Les activités artistiques   astuce n°_____

(e) La gestuelle   astuce n°_____

5. **Termine les phrases suivantes avec tes propres mots.**

(a) Alicia doit apprendre à _____

_____

(b) L'écriture permet de _____

_____

(c) On exprime plus de choses par _____

_____

(d) Pour se relaxer, il faut _____

_____

(e) Imaginer un point invisible aide à _____

_____

(f) Les activités artistiques favorisent _____

_____

TEST 4 : JE FLIPPE NON-STOP !

1. Alicia a très souvent peur, aussi bien en famille qu'avec des amis ou à l'école.

2. (b) ; (c) ; (e) ; (g).

3. On propose cinq astuces différentes pour aider Alicia.

4. (a) astuce n°5 ; (b) astuce n°4 ; (c) astuce n°2 ; (d) astuce n°3 ; (e) astuce n°1.

5. *Possible answers:* (a) … maîtriser ses émotions et ses moments de panique ; (b) … exprimer ses sentiments sans avoir à faire face à quelqu'un ; (c) … les gestes, le corps et le visage que par les mots ; (d) … se concentrer et respirer profondément ; (e) … se concentrer sur ce que l'on dit et à ne pas s'occuper de la réaction de la personne avec qui on parle ; (f) … l'expression de la créativité et de l'imagination.

20e cérémonie des Victoires de la musique - le «M» de la victoire

Pour sa 20e édition, la cérémonie des Victoires de la musique s'est offert le luxe de couronner un jeune chanteur au look improbable, faisant souffler un air de folie sur la grande scène du Zénith à Paris. Samedi soir, c'est incontestablement M, alias Matthieu Chédid, qui a régné sur la soirée.

Marie Le Moël

M avait déjà goûté aux Victoires en 2000, avec deux récompenses pour son disque « Je dis aime ». Cette année, il double la mise, avec quatre récompenses, et non des moindres. Meilleur album pour son troisième opus « Qui de nous deux », DVD de l'année, spectacle de l'année... et surtout artiste masculin, le titre par excellence.

En coulisses, le chanteur, personnage de clown perpétuel, en veste noire, la coupe à la diable, n'en revient pas. « Irréel, surréaliste... un jour ou l'autre, je me réveillerai et je me dirai : "Oh la la" ! » Mais Matthieu Chédid n'est pas dupe des paillettes. Il promet déjà de mettre ses nouvelles Victoires « au placard, avec les autres », et va jusqu'à affirmer sur scène : « Il y a beaucoup de gens plus doués que moi. Et notamment mon père [Louis Chédid] qui n'a jamais gagné ce truc-là. »

Déception pour Corneille

Une pique lancée au jury de 800 professionnels qui décerne les prix. Parmi les mal aimés des Victoires, on peut désormais également compter Corneille. Le chanteur canadien, nommé à deux reprises en 2004, était alors passé à côté des récompenses. Cette année encore, Corneille, seul artiste québécois en lice avec Natasha Saint-Pier (qui elle était uniquement nommée en catégorie vidéoclip), est reparti les mains vides. Après s'être fait voler la vedette comme artiste masculin par M, il n'a même pas obtenu de prix de consolation pour le vidéoclip, finalement attribué à Alain Chamfort. « Ce sont les aléas des Victoires, allez comprendre le jugement des professionnels », soupire en coulisses Pascal Nègre, le p.d.-g. d'Universal. « Mais le plus important, c'est le public. Corneille est un vrai "grand", doté d'un charisme, d'une voix, d'une écriture. » L'accueil de la salle lorsqu'il vient sur scène chanter « Comme un fils » ne laisse d'ailleurs aucun doute sur sa cote de popularité. Touché lui aussi, Jack Lang, ancien ministre de la Culture sous François Mitterrand : « Corneille, c'était un des grands moments de la soirée, émouvant, bouleversant... Il fait beaucoup pour la francophonie. » Malgré le soutien de ses fans, le chanteur, déçu, s'éclipse discrètement avant la fin de la soirée. (…)

À presque deux heures du matin hier, la cérémonie s'est achevée. Quatre prix spéciaux ont été décernés à des « anciens », dont Alain Souchon et Mylène Farmer. Mais hormis ces récompenses, au vu du palmarès, on peut se dire que les Victoires ont décidément cherché à prendre un coup de jeune.

LE DEVOIR.com

7 mars 2005

AS LEVEL

TEST 5 : MUSIQUE

1. Lis le texte et indique si les phrases suivantes sont vraies (V) ou fausses (F) en cochant la bonne case.

	V	F
(a) Les Victoires de la Musique se déroulent en France.	☐	☐
(b) Ils s'agit de récompenser, entre autre, des acteurs.	☐	☐
(c) Le vrai nom du chanteur M est Matthieu Chédid.	☐	☐
(d) Il pense qu'il est le meilleur.	☐	☐
(e) Corneille n'est pas français.	☐	☐
(f) Le public apprécie beaucoup Corneille.	☐	☐
(f) Le public apprécie beaucoup Corneille.	☐	☐
(h) Cette année, les jeunes artistes n'ont pas gagné beaucoup de récompenses.	☐	☐

2. À présent, corrige les phrases <u>incorrectes</u>, en t'aidant du texte.

_____

_____

_____

_____

_____

_____

_____

_____

_____

_____

AS LEVEL

3. Relis le texte et réponds aux questions avec le chiffre correct.

(a) De combien de personnes est composé le jury ?

_____

(b) En tout, combien de récompenses a remporté M en 2000 et en 2005 ?

_____

(c) Quel est le nombre de catégories dans lesquelles Corneille était nommé cette année ?

_____

(d) Quel est le nombre de catégories dans lesquelles Natasha Saint-Pier était nommée cette année ?

_____

(e) En quelle année Corneille avait-il été également nommé ?

_____

(f) Depuis combien d'années les Victoires de la Musique existent-elles ?

_____

4. Range les adjectifs proposés dans la liste dans les deux catégories suivantes. Attention, certains peuvent figurer dans les deux catégories !

> jeune - heureux - populaire - Québécois -
>
> extravagant - modeste - charismatique - malchanceux

M	Corneille

TEST 5 : MUSIQUE

1. (a) V ; (b) F ; (c) V ; (d) F ; (e) V ; (f) V ; (g) F ; (h) F.

2. (b) Ils s'agit de récompenser entre autre des chanteurs / artistes / musiciens ; (d) Il pense qu'il n'est pas le meilleur / Il ne pense pas qu'il est le meilleur ; (g) Malheureusement, Corneille n'a gagné aucun prix ; (h) Cette année, les jeunes artistes ont gagné beaucoup de récompenses.

3. (a) 800 ; (b) 6 (2 en 2000 et 4 en 2005) ; (c) 2 (artiste masculin et vidéoclip) ; (d) I (vidéoclip) ; (e) 2004 ; (f) 20.

4.

M	Corneille
jeune	jeune
heureux	populaire
extravagant	Québécois
modeste	charismatique
	malchanceux

AS LEVEL

Télé story
Maria racontée par son frère Nikos

La benjamine de la famille Aliagas est chroniqueuse dans « Encore plus libre », la nouvelle version d' « Union Libre » présentée le samedi à 18h50 par Nagui.

Nikos Aliagias

Maria, c'est d'abord ma petite sœur. Le petit bout de chou que je serrais dans mes bras à l'âge de 11 ans. Elle n'avait que quelques jours et déjà plus de cheveux que moi aujourd'hui. Maria, c'est la gamine discrète et qui vivait sa vie alors que, moi, je prenais ma plus belle voix lorsque je jouais au délégué de classe. La seule fois où je l'ai utilisée d'une manière malhonnête, c'était en vacances pour draguer des touristes sur une île grecque, quand je la tenais par la main. Haute comme trois pommes, elle avait 10 ans et quelques dents en moins (passage de souris oblige). Elle était touchante, comique, et me rendait encore plus sympathique auprès des filles.

Maria et moi avons onze ans d'écart, mais bien souvent sa clairvoyance, son léger cynisme et sa liberté de penser viennent à mon secours. Conseillère tranquille, elle possède le réalisme de sa génération. La télé, elle n'en a pas rêvé, comme moi. Pendant ses études, elle avait un job d'étudiante à France 3 (elle y travaille encore). Pourtant, à aucun moment, elle ne parlait de son frère qui faisait de la télé sur la chaîne d'en face. D'ailleurs, dans la famille, on en parle peu, c'est un métier, pas une vitrine. Maria voulait être prof de français à Athènes (le rêve de nos parents déracinés), elle se retrouve à parler de la Grèce, ici, sur France 2.

Ma sœur apprend un métier. Lorsque la production l'a contactée, elle est restée perplexe devant le piège de faire de la télé par atavisme familial et de n'être considérée que comme « la sœur de… ». Nagui, comme un grand frère, l'a prise par la main avec certains de mes anciens collègues (David Lowe, Annet Burgdorf, la productrice Estelle Gouzi, etc.) Maria connaît le chant des sirènes, à elle de ne pas oublier Ulysse. Dans le quartier parisien où nous avons grandi, près du canal Saint-Martin, je la revois, cartable sur le dos et scoubidou autour du poignet, monter les marches de son école en me lançant : « N'oublie pas de venir me chercher à l'heure, je n'aime pas attendre seule dehors. » Aujourd'hui, c'est moi qui attends à 18h50 le samedi devant la télé. J'attends le générique de l'émission, un pincement au cœur et les mains moites : « Y'a ma sœur qui passe à la télé ! »

10-16 février 2005

AS LEVEL

TEST 6 : FAMILLE

1. Lis l'article et indique si ces phrases sont vraies (V) ou fausses (F) en cochant la case.

		V	F
(a) Nikos est plus âgé que Maria.		❏	❏
(b) À sa naissance, Maria avait moins de cheveux que son frère.		❏	❏
(c) Nikos travaille à la télévision depuis plus longtemps que Maria.		❏	❏
(d) Maria est plus célèbre que son frère Nikos.		❏	❏
(e) Nagui est aussi le frère de Maria et Nikos.		❏	❏
(f) Quand ils étaient jeunes, Nikos était moins réservé que sa sœur.		❏	❏

2. Complète les blancs selon le sens du texte.

(a) La _____ est le pays d'origine de la famille de Nikos et Maria.

(b) Nikos a toujours _____ de travailler à la télévision.

(c) Lorsqu'elle était _____, Maria a travaillé à France 3.

(d) France 2 et France 3 sont des chaînes de _____ françaises.

(e) C'était Nikos _____ allait chercher sa sœur à la sortie de l'école.

(f) Tous les samedis, Nikos _____ l'émission dans laquelle passe sa sœur.

3. Answer the questions using your own words.

(a) Why did Nikos 'use' his sister during their holidays in Greece ?

_____

_____

(b) What are the two adjectives which would best describe Maria's character ?

_____

_____

(c) If she did not work on TV, what other job would Maria have done and why ?

_____

_____

(d) What do you think Niko's opinion about his sister is ?

_____

_____

AS LEVEL

4. Traduis en français ces phrases tirées du texte.

(a) « Elle n'avait que quelques jours et déjà plus de cheveux que moi aujourd'hui. »

_____

(b) « Pendant ses études, elle avait un job d'étudiante à France 3 (elle y travaille encore). »

_____

(c) « Nagui, comme un grand frère, l'a prise par la main avec certains de mes anciens collègues (…). »

_____

(d) « N'oublie pas de venir me chercher à l'heure, je n'aime pas attendre seule dehors. »

_____

(e) « Aujourd'hui, c'est moi qui attends à 18h50 le samedi devant la télé. »

_____

5. Décris toi aussi ton frère / ta sœur / un membre de ta famille (100 mots) dont tu es fier / fière ou que tu admires.

_____

_____

_____

_____

_____

_____

_____

_____

_____

_____

_____

TEST 6 : FAMILLE

1. (a) V ; (b) F ; (c) V ; (d) F ; (e) F ; (f) V.

2. (a) Grèce ; (b) rêvé ; (c) étudiante ; (d) télévision ; (e) qui ; (f) regarde.

3. (a) Because he wanted to charm some tourists ; (b) *two among*: careful, down-to-earth, discreet, thoughtful ; (c) She would have taught French in Athens because her family is from Greece and she knows both French and Greek / because it was her parents' dream ; (d) He is fond of his sister and thinks that she is calm and of good advice. He also quite admires her because she lives her own life in spite of having a well-known brother.

4. (a) She was only a few days old but already had more hair than me today ; (b) During her studies, she had a student job in France 3 (she still works there) ; (c) Nagui, like an older brother, took her by the hands with some of my former colleagues (…) ; (d) 'Don't forget to come to collect me on time, I don't like waiting alone outside.' ; (e) Today, it's me who waits in front of the TV on Saturday at 6.50pm.

5. *Possible answer:* J'ai sept ans d'écart avec mon petit frère. Paul a toujours été plus bavard que moi mais il sait aussi écouter les autres. Je me souviens que pendant nos vacances à la montagne, nous faisions souvent des courses pour savoir qui arriverait le premier en haut de la piste. Comme il était plus jeune, je le laissais souvent gagner. Souvent aussi, il venait m'écouter pendant que je travaillais mes cours de piano et il voulait me montrer qu'il savait aussi jouer du piano. Mon rêve ce n'était pas la musique mais c'est finalement celui de mon frère. Aujourd'hui, c'est moi qui vais l'écouter pendant ses répétitions ou pendant ses concerts.

AS/A2 LEVEL

Environnement
Mon auto a la frite

Recyclée, l'huile alimentaire offre les mêmes performances qu'un combustible pétrolier... En bien moins polluant

Marion Festraëts

Faisons un rêve écologique : se libérer des caprices géopolitiques de l'or noir et de sa néfaste empreinte sur l'environnement pour alimenter nos autos à l'huile de frites. Ou comment recycler des millions de tonnes de graisse de friture en carburant biodégradable, non toxique, vierge de soufre et peu polluant, rejetant de 60 à 90% de gaz à effet de serre en moins. Réveillez-vous : le rêve est devenu réalité. Hormis un sillage odorant digne d'un *fish and chips* poisseux, l'huile usagée offre les mêmes performances qu'un combustible pétrolier. Plus communément transformés en biodiesel - ou ester méthylique, obtenu à partir de graisses d'origine végétale ou animale - les bains de friture font déjà allègrement rouler les bus de certaines villes américaines, comme Berkeley (Californie). Rien de bien nouveau, en fait, puisque le fameux moteur conçu à la fin du XIXe siècle par l'Allemand Rudolf Diesel marchait à l'huile d'arachide. Ses modernes avatars peuvent fonctionner indifféremment au diesel, au biodiesel ou directement à l'huile usagée, moyennant quelques réglages - par grand froid, il faut notamment éviter que la graisse ne fige...

En France, où la moitié du parc automobile - et les deux tiers des véhicules vendus cette année - consomment du gazole, le système a de beaux jours devant lui : les biocarburants représentent seulement 0,7% de la consommation. Histoire de lancer le mouvement, McDonald's France fait désormais collecter toutes ses huiles usagées, soit 6 500 tonnes, qui donneront 6 500 000 litres de biodiesel. Moralité : pour rouler vert, mangez des frites.

L'EXPRESS

23 août 2004

AS LEVEL

TEST 7 : ENVIRONNEMENT

1. Lis le texte et indique si les phrases ci-dessous sont vraies (V) ou fausses (F) en cochant la bonne case.

	V	F
(a) Le combustible pétrolier ne pose pas de problème pour l'environnement.	☐	☐
(b) L'huile alimentaire est celle qui sert à cuire des frites.	☐	☐
(c) On espère pouvoir transformer l'huile usagée en carburant.	☐	☐
(d) Le froid n'est pas un problème pour l'huile usagée.	☐	☐
(e) Le premier moteur diesel a été inventé en Allemagne.	☐	☐
(f) La plupart des voitures françaises roulent au gazole.	☐	☐
(g) Les biocarburants sont obtenus à partir d'huiles recyclées.	☐	☐
(h) McDonald's veut se lancer dans la production de biocarburant.	☐	☐

2. À quoi correspondent les chiffres suivants ? Fais des phrases complètes.

(a) 0,7 :

_____

(b) 60 à 90 :

_____

(c) 6 500 000 :

_____

(d) 6 500 :

_____

A2 LEVEL

TEST 7 : ENVIRONNEMENT

1. Lis le texte et réponds aux questions.

(a) Quel est l'objectif de l'auteur ?

_____

_____

(b) Pourquoi est-il intéressant d'utiliser des biocarburants ?

_____

_____

(c) Quels sont les avantages de l'huile usagée ?

_____

_____

(d) Quel est le seul inconvénient de l'huile usagée ?

_____

_____

(e) Quelle est la situation en France quant à la possibilité d'utiliser des biocarburants ?

_____

_____

2. Dans le texte, trouve les mots qui expriment le contraire de ceux ci-dessous.

(a) écologique : _____

(b) neuve : _____

(c) se débarrasser : _____

(d) positif : _____

(e) anciens : _____

TEST 7 : ENVIRONNEMENT

AS LEVEL

1. (a) F ; (b) V ; (c) F ; (d) F ; (e) V ; (f) V ; (g) V ; (h) F.

2. (a) le pourcentage de voitures françaises qui utilisent du biocarburant ; (b) le pourcentage, en moins, de gaz à effet de serre rejeté par les huiles usagées par rapport au combustible pétrolier ; (c) la quantité, en litres, de biodiesel obtenue à partir de 6 500 litres d'huile usagée ; (d) la quantité, en tonnes, d'huile usagée produite par McDonald's en France.

A2 LEVEL

1. (a) L'auteur veut montrer que le recyclage et l'utilisation d'huiles usagées comme carburant existe déjà et est intéressant pour l'environnement ; (b) Les biocarburants sont obtenus à partir d'huiles recyclées et ils sont moins polluants que les combustibles pétroliers ; (c) L'huile usagée est biodégradable, non toxique et rejette moins de gaz à effet de serre ; (d) Le seul inconvénient c'est qu'elle fige quand il fait très froid ; (e) En France, l'utilisation du biocarburant n'est pas encore très répandue donc sa consommation devrait augmenter.

2. (a) polluant ; (b) usagée ; (c) collecter ; (d) néfaste ; (e) modernes.

AS/A2 LEVEL

Audrey Peltier, vainqueur de la Coupe d'Europe de géant 2004, se cherche un rang au niveau mondial

Laurent Acharian

Ce soir de novembre à Paris, les équipes de France de ski sont présentées à la presse. Audrey Peltier porte une longue robe noire et des bottes assorties. On lui demande de mettre l'anorak bleu de l'équipe de France – sponsors obligent – pour monter sur scène. Malgré ce malheureux mélange des genres, elle reste superbe. Certains de ses anciens entraîneurs l'ont d'ailleurs surnommée « la Princesse ». Ça lui va bien. « Jusqu'à 8 ans, je suivais ma mère qui donnait des cours au Club Med. On skiait à Tignes, Sestrières, Avoriaz. Et puis je faisais les spectacles, des chorégraphies sur *Big Bisous* notamment », se souvient aujourd'hui Audrey.

Depuis cette période paillettes, Audrey Peltier s'est fait remarquer des skis aux pieds. L'an passé, elle a même remporté le classement général de la Coupe d'Europe de géant en se classant notamment seconde à Lachtal (Autriche) et en ne finissant jamais au-delà de la treizième place. Une référence qui confirmait les promesses de l'année précédente, lorsqu'elle s'était imposée à La Molina (Espagne) lors d'une épreuve de Coupe d'Europe. De beaux succès pour cette fille du directeur de l'école de ski française des Arcs 2000, habituée dès le plus jeune âge aux honneurs. « Je me souviens de ma victoire lors de la promo jeunes de Val-d'Isère. On m'avait remis l'Aigle de la station. Il est toujours sur l'étagère, au-dessus de la télé », indique l'apprentie championne.

Jean-Noël Gachet, qui l'entraîne depuis qu'elle a 17 ans, a saisi le talent de la jeune fille, lorsque, cadette, elle a remporté les Championnats de France juniors : « Elle avait même battu Ingrid Jacquemod, qui a trois ans de plus qu'elle », rappelle l'entraîneur. Audrey a commencé le ski à un an et demi. Techniquement, ça aide. « Elle comprend la neige, elle est toujours à l'écoute de ce qu'elle a sous les pieds », souligne ainsi Philippe Martin, entraîneur des géantistes et slalomeuses.

Mais Audrey n'a pas que les qualités de son surnom. Comme toutes les princesses, elle n'aime guère souffrir. « Elle fonctionne sur le talent, la gestuelle, elle n'est pas très rustique. Du coup, elle a tendance à se plaindre quand la piste ou la météo ne sont pas bonnes », indique Jean-Noël Gachet. Lors de la première Coupe du monde, cette année, à Sölden, Audrey a chuté, ce qui a agacé Philippe Martin : « Sortir comme ça, ce n'est pas normal. Ça peut arriver, mais pas si tôt, sans avoir passé la moindre difficulté. Elle doit apprendre à se faire mal. » (…)

27 novembre 2004

AS LEVEL

TEST 8 : SPORT

1. Lis le texte. Numérote les quatre paragraphes du texte, puis écris le numéro du paragraphe où on apprend …

(a) qu'Audrey a remporté une victoire inattendue à un jeune âge. _____

(b) qu'elle est toujours belle. _____

(c) qu'elle a eu du succès à l'échelle européenne deux années de suite. _____

(d) le métier qu'a fait son père. _____

(e) qu'elle n'est pas toujours de bonne humeur. _____

(f) qu'elle apprenait à skier avec sa mère. _____

2. Décide si les phrases sont vraies (V) ou fausses (F) en cochant la bonne case.

	V	F
(a) Audrey doit mettre un anorak bleu avec sa longue robe noire.	❏	❏
(b) On l'appelle « la Princesse » à cause de sa beauté.	❏	❏
(c) Elle a eu la treizième place dans une épreuve de la Coupe d'Europe.	❏	❏
(d) Elle s'est classée au deuxième rang de la promo jeunes de Val d'Isère.	❏	❏
(e) Son entraîneur s'appelle Jean-Noël Gachet.	❏	❏
(f) Elle est courageuse, surtout quand elle se fait mal.	❏	❏
(g) Elle a gagné l'épreuve de Coupe du monde à Sölden.	❏	❏

3. Corrige les phrases fausses.

_____

_____

_____

_____

_____

_____

A2 LEVEL

TEST 8 : SPORT

1. Remplis les douze cases vides de ce résumé avec des mots de la liste. Mets-les à la forme correcte (temps, personne, genre, etc).

quel	mettre	victoire
beau	développer	promo
agaçant	se plaindre	cours
bleu	pouvoir	talent
français	tomber	entraîneur
content	être	ski
avoir	remporter	

Même dans l'anorak (a) _____ de l'équipe de France, Audrey Peltier a l'air d'une princesse.

Elle a (b) _____ ses premiers (c) _____ à l'âge de 18 mois, et a pris des (d) _____ au

Club Med jusqu'à l' âge de huit ans. Elle a (e) _____ toute une série de (f) _____, grâce à la

technique qu'elle (g) _____ depuis plus de 15 ans. Cependant, elle (h) _____ si elle n'est pas

(i) _____ des conditions et quelques fois elle (j) _____ décevoir. Par exemple, elle est

(k) _____ lors de la première Coupe du monde cette année et elle (l) _____ sortie du

concours. (m) _____ dommage !

2. Traduis en anglais les douze premières lignes du texte jusqu'à « (...) Ça lui va bien. »

_____

_____

_____

_____

_____

_____

_____

_____

_____

_____

TEST 8 : SPORT

AS LEVEL

1. (a) 3 ; (b) 1 ; (c) 2 ; (d) 2 ; (e) 4 ; (f) 1.

2. (a) V ; (b) V ; (c) V ; (d) F ; (e) V ; (f) F ; (g) F ; (h) V.

3. (d) Elle a gagné la promo jeunes de Val-d'Isère ; (f) Elle n'aime pas souffrir ; (g) Elle est tombée / Elle est sortie du concours.

A2 LEVEL

1. (a) bleu ; (b) mis ; (c) skis ; (d) cours ; (e) remporté ; (f) victoires ; (g) développe ; (h) se plaint ; (i) contente ; (j) peut ; (k) tombée ; (l) est ; (m) Quel.

2. On this November evening in Paris, the French ski teams are being presented to the press. Audrey Peltier is wearing a long black dress and matching boots. She is asked to put on the blue anorak of the French team – for the sake of the sponsors - when she goes onto the stage. Despite this unhappy mix of styles, she still looks superb. Actually, some of her former trainers have called her 'the Princess'. It suits her.

AS/A2 LEVEL

Ali Akbar
Le crieur du monde

C'est le dernier vendeur de journaux à la criée à Paris. Du Pakistan aux terrasses germanopratines, un parcours étonnant qu'il raconte dans son livre « Je fais rire le monde... mais le monde me fait pleurer! »

Louise Couvelaire

La vedette du quartier, c'est lui. Ali Akbar, 52 ans. Casquette sur la tête, journaux sous le bras, il brandit chaque jour les unes et déclame ses titres satiriques : « 'Le Monde', 'Le Monde' ! Ça y est ! Bush Junior... un enfant avec Monica. » À son passage, les terrasses de Saint-Germain-des-Prés se réveillent. Il a du métier. Cela fait trente ans qu'il arpente le macadam germanopratin.

Ali est né au Pakistan, près d'Islamabad. Il quitte l'école à 5 ans et enchaîne les petits boulots : vendeur de maïs, cireur de chaussures... Tout est bon pour fuir un père violent, qui frappe ses huit enfants. A 18 ans, il part pour la Grèce et devient serveur sur un bateau : « Au bout de deux ans, j'en ai eu marre et je voulais aller dans un pays anglophone. » En chemin, il passe par Rouen : « Là, j'ai vu des gens comme moi, de couleur, qui ne parlaient pas français non plus. » Il décide de rester, direction Paris. Sans le sou ni papiers, il atterrit au quartier Latin. « On m'avait dit qu'il y avait des restos à 2 francs le plat. » Il dort sous le pont Saint-Michel.

Sa rencontre avec un étudiant argentin scelle son destin. Le jeune homme vend à la criée « Charlie Hebdo », « L'Écho des savanes », « Libé ». Un bon filon. Ali fonce chez « Charlie », Odile Choron lui confie 50 exemplaires, écoulés en quelques heures.

« Le 6ème a toujours été mon quartier préféré. J'y rencontre des étudiants, des intellectuels, des artistes. Des gens instruits et sympathiques. » Mais il n'a jamais pu y habiter. Trop cher. En vendant 80 « Monde » par jour et 250 « JDD » chaque week-end, Ali gagne environ 1000 euros par mois. Une fortune comparée à ses débuts. D'autant qu'il envoyait la quasi-totalité de ses revenus à sa mère. Il a donc vécu tour à tour dans une cave du 5ème « au milieu des cartons et des rats », dans des chambres de bonne, à République, dans le 15ème... avant de s'installer avec sa femme, une Pakistanaise, à Pierrefitte (93). « Je n'ai pas aimé. Je voulais un bon quartier avec de bonnes écoles pour mes cinq fils. » Il déménage à Sceaux (92) puis dans une HLM à Antony (92). Aujourd'hui, Ali continue de « faire son cinéma » comme il dit, mais il espère obtenir l'autorisation de tenir un stand de souvenirs sur le trottoir. Où ? À Odéon, bien sûr.

17-23 mars 2005

AS LEVEL

TEST 9 : MÉTIER

1. Lis le texte et retrouve les phrases complètes en reliant les groupes de mots de la colonne 1 à ceux de la colonne 2.

Colonne 1 | Colonne 2

(a) Ali vend ses journaux dans…

(i) la Grèce.

(b) Il est originaire du…

(ii) 6ème.

(c) Le premier pays où il se rend, c'est…

(iii) France.

(d) À 20 ans, il arrive en…

(iv) les rues.

(e) Il aime beaucoup le quartier du…

(v) un immeuble.

(f) Aujourd'hui, il habite dans…

(vi) Paris.

(g) Il est le seul vendeur à la criée à…

(vii) Pakistan.

2. Réponds aux questions suivantes en faisant des phrases complètes.

(a) Quand Ali a-t-il commencé à travailler comme vendeur à la criée ?

_____

(b) Pourquoi a-t-il quitté son pays d'origine ?

_____

(c) Quelle langue voulait-il parler ?

_____

(d) La première fois qu'il travaille comme vendeur à la criée, combien de journaux vend-il ?

_____

(e) Quel est le salaire mensuel d'Ali ?

_____

(f) Pourquoi Louise Couvelaire a-t-elle écrit un article sur Ali Akbar ?

_____

A2 LEVEL

TEST 9 : MÉTIER

1. Lis le texte et réponds aux questions en choisissant l'option correcte.

(a) Quelle type d'enfance Ali a-t-il eu ?

    (i) Il a eu une enfance facile. ☐

    (ii) Il a eu une enfance heureuse. ☐

    (iii) Il a eu une enfance difficile ☐

(b) Pourquoi décide-t-il de rester en France ?

    (i) Parce que c'était son rêve. ☐

    (ii) Parce qu'il a rencontré d'autres étrangers qui ne parlaient pas la langue non plus. ☐

    (iii) Parce qu'on lui a offert un travail. ☐

(c) Pourquoi préfère-t-il le 6ème ?

    (i) Car c'est là qu'il vend le plus de journaux. ☐

    (ii) Parce qu'il aime rencontrer les gens qui y habitent. ☐

    (iii) Parce ce que c'est le quartier le plus abordable de Paris. ☐

(d) Comment peut-on décrire la vie d'Ali à Paris ?

    (i) Il n'a jamais eu de problèmes pour vivre. ☐

    (ii) Dès le début, sa vie a été très facile. ☐

    (iii) Sa vie n'a pas toujours été facile, surtout au début. ☐

2. Dans le texte, trouve les synonymes des mots / expressions ci-dessous.

(a) du quartier de Saint-Germain-des-Prés : _____

(b) marcher longtemps dans les rues : _____

(c) beaucoup d'argent : _____

(d) la permission : _____

3. Avec tes propres mots, explique ces phrases tirées du texte.

(a) « La vedette du quartier, c'est lui. »

_____

(b) « Sans le sou ni papiers, il atterrit au quartier Latin. »

_____

(c) « Sa rencontre avec un étudiant argentin scelle son destin. »

_____

TEST 9 : MÉTIER

AS LEVEL

1. (a) (iv) ; (b) (vii) ; (c) (i) ; (d) (iii) ; (e) (ii) ; (f) (v) ; (g) (vi).

2. (a) Ali a commencé à travailler comme vendeur à la criée il y a trente ans ; (b) Il a quitté son pays d'origine parce qu'on son père frappait ses enfants ; (c) Il voulait parler l'anglais ; (d) La première fois qu'il commence son travail de vendeur à la criée, il vend 50 journaux ; (e) Ali gagne environ 1000 euros par mois ; (f) Louise Couvelaire a écrit un article sur Ali Akbar parce qu'il vient d'écrire un livre sur sa vie.

A2 LEVEL

1. (a) (iii) ; (b) (ii) ; (c) (ii) ; (d) (iii).

2. (a) germanopratin / germanopratines ; (b) arpenter le macadam ; (c) une fortune ; (d) l'autorisation.

3. *Possible answers:* (a) Dans le quartier de Saint-Germain-des-Prés, Ali attire l'attention des personnes ; (b) Ali arrive dans ce quartier de Paris sans aucun argent et sans carte d'identité ; (c) Sa rencontre avec cet étudiant est déterminante pour sa vie car c'est grâce à lui qu'il devient vendeur de journaux à la criée.

A2 LEVEL

Diététique - Halte aux idées reçues

Tous les dix ans, ça change !

Vous n'achetez que des aliments « allégés », fuyez le fromage et bannissez les féculents ? Ce n'est peut-être pas le meilleur moyen de garder la ligne. Voici quelques idées reçues auxquelles il est temps de tordre le cou.

Florence Massin

Manger léger le soir conserve la ligne

Si le déjeuner est complet avec une entrée ou un dessert, un plat de viande et légumes, un fromage et du pain, le repas du soir sera plus léger. En revanche, si votre déjeuner se résume à un sandwich, le dîner devra compenser les manques nutritionnels de la journée avec des crudités ou de la salade, un complément de viande, de poisson ou d'œufs accompagnés de légumes, un ou deux produits laitiers, un fruit et du pain. Si le dîner vous paraît trop copieux, pratiquez la pause goûter avec un fruit et un laitage.

Les aliments allégés aident à mincir

Malheureusement non. Selon Jean-Michel Lecerf, nutritionniste à l'Institut Pasteur de Lille, les gens consomment des produits allégés par effet de mode. « Acheter allégé, quand on a quelques kilos en trop, cela déculpabilise un peu. » Hélas, ces produits ne font pas maigrir. Ils entraînent un phénomène de compensation, conscient ou inconscient. Un sentiment de frustration peut survenir qui va se reporter sur autre chose, voire à s'autoriser certains excès. Sans démarche éducative, les produits allégés en graisses et en sucre ne favorisent donc pas l'amaigrissement. (…)

Février 2005

Bon à savoir

Florence Massin

Toujours plus d'aliments sucrés

En quarante ans (1960-2000), la consommation de pâtisseries et biscuits a été multipliée par quatre, celle de laitage par plus de trente, celle de sirops et de crèmes glacées par huit et de boissons sucrées par six. Quant au sucre, en 1826, chaque Français en consommait en moyenne 2 kg par an. La consommation croît tout au long du siècle jusqu'à atteindre 20 kg à la veille de la Première Guerre mondiale. En 1958, un Français consomme 30 kg de sucre, 36 kg en 1970. Ce chiffre se stabilise à 35 kg au cours des années quatre-vingt-dix.

Le cerveau gourmand

On l'oublie souvent. Il n'y a pas que nos muscles qui travaillent. Le cerveau ne représente que 2% de notre poids mais consomme à lui seul 40% des glucides que nous absorbons. Plus vous vous creuserez les méninges, plus vous aurez besoin de carburant.

Rassasiement garanti

Pour éviter les fringales, privilégiez les aliments riches en tryptophane, un acide aminé. Soit les œufs, la dinde, le poisson, le soja, les tomates, les aubergines, les avocats, le pain complet, les bananes, les dattes, les noix et les prunes. (…)

Février 2005

A2 LEVEL

TEST 10 : DIÉTÉTIQUE

1. Lis le premier texte et réponds aux questions en cochant la réponse correcte.

(a) Qu'est-ce qu'une idée reçue ?

   (i) une théorie prouvée par les médecins. ☐

   (ii) un conseil que le médecin donne un patient. ☐

   (iii) une idée que tout le monde croit vraie. ☐

(b) De quoi doit se composer un déjeuner complet ?

   (i) d'un sandwich. ☐

   (ii) au moins de viande, de légumes et d'un dessert. ☐

   (iii) de fromage et de pain uniquement. ☐

(c) Que doit-on faire si on n'a pas très faim le soir ?

   (i) ne pas manger. ☐

   (ii) manger seulement des fruits. ☐

   (iii) manger un fruit et un produit laitier au goûter. ☐

(d) Pourquoi les gens achètent-ils des produits allégés ?

   (i) parce qu'ils sont moins chers. ☐

   (ii) pour se sentir moins coupables de trop manger. ☐

   (iii) parce que les médecins le recommandent. ☐

(e) Pourquoi les produits allégés n'aident-ils pas à maigrir ?

   (i) parce que les personnes ne savent pas comment les utiliser. ☐

   (ii) parce qu'ils sont pleins de graisses et de sucre. ☐

   (iii) parce qu'ils ne sont pas comestibles. ☐

2. Avec tes propres mots, explique ces phrases tirées du texte.

(a) « (…) le dîner devra compenser les manques nutritionnels de la journée (…). »

_____

(b) « (…) les gens consomment les produits allégés par effet de mode. »

_____

(c) « (…) s'autoriser certains excès. »

_____

A2 LEVEL

3. Lis le second texte et indique si ces phrases sont vraies (**V**), fausses (**F**) ou pas mentionnées (**PM**).

	V	F	PM
(a) Jusque dans les années 1990, les Français consomment de plus en plus de sucre.	☐	☐	☐
(b) De 1970 à 1990, cette consommation a fortement augmentée.	☐	☐	☐
(c) Le cerveau est l'élément le plus lourd de notre corps.	☐	☐	☐
(d) Les activités cérébrales augmentent les besoins énergétiques du cerveau.	☐	☐	☐
(e) Si on mange des bananes, du poisson ou des œufs, on aura encore faim.	☐	☐	☐
(f) Les tomates, les bananes ou les noix ne contiennent pas beaucoup de tryptophane.	☐	☐	☐

4. Translate into English the following extract.

En quarante ans (1960-2000), la consommation de pâtisseries et de biscuits a été multipliée par quatre, celle de laitage par plus de trente, celle de sirops et de crèmes glacées par huit et de boissons sucrées par six.

_____

_____

_____

_____

_____

_____

TEST 10 : DIÉTÉTIQUE

1. (a) (iii) ; (b) (ii) ; (c) (iii) ; (d) (ii) ; (e) (i).

2. *Possible answers:* (a) Si on n'a pas beaucoup mangé au déjeuner, l'alimentation n'a pas été équilibrée, donc il faudra manger un repas complet le soir ; (b) Les gens mangent des produits allégés non pas parce qu'ils aident à maigrir mais parce que c'est ce que tout le monde fait ; (c) On ne respecte plus les règles qu'on se fixe, on se donne la permission de manger plus qu'on ne devrait le faire.

3. (a) V ; (b) F ; (c) F ; (d) V ; (e) F ; (f) F.

4. Within forty years (1960-2000), the consumption of pastries and biscuits has been multiplied by four, dairy's by over thirty, syrups' and ice-creams' by eight and soft drinks' by six.

A2 LEVEL

Les derniers francs à guichets fermés

Argent. Files d'attente à rallonge, hier, pour échanger ses pièces contre des euros.

Jean-Paul ROUSSET

Le vigile est sur le qui-vive, tendu, débordé. « Il y avait déjà des gens à 6 heures, ce matin, trois heures avant qu'on ouvre », lâche-t-il. Il filtre au compte-gouttes les derniers porteurs de francs. Vue de la grille d'entrée, la succursale de la Banque de France, place de la Bastille à Paris, paraît assiégée. Une longue file serpente dans la froidure. Pas loin de 200 personnes battaient la semelle hier, date limite pour échanger contre des euros les dernières pièces à l'effigie de Marianne. On se croirait aux soldes, mais ici au moins, l'ambiance reste plutôt bon enfant.

« Fautifs ». « Je suis déjà venue hier. Hélas, ils ont fermé une heure plus tôt que prévu, ils ne pouvaient pas servir tout le monde », raconte Maryse, 55 ans, qui semble avoir conservé sa bonne humeur. « Mais, vous voyez, on est tous très calmes, très dociles », poursuit-elle en se retournant vers ses voisins. Ces réveillés de la dernière heure avouent en chœur : « On est fautifs ! » Du coup, ils subissent leur châtiment frigorifiés. « On était bien informés, c'est vraiment de la négligence », renchérit Annick, la quarantaine, qui précise dans un rire avoir fait le tri de ses pièces seulement la veille au soir. La Banque de France avait pourtant relancé sa campagne de communication dès le début décembre 2004.

L'autoflagellation de ces pénitents du franc ne sera pas compensée par un enrichissement à la Crésus. Les sommes en jeu sont relativement faibles même si, selon la Banque de France, certains « porteurs de valises » ont changé ces derniers temps plusieurs milliers de francs. Là, dans la queue, la plupart estiment leur trésor à une centaine de francs au plus. Coquetterie ? Sabrina, 20 ans, se lance : « Moi, je pense que c'est 200 francs, mais j'avais déjà changé 10 000 francs pour ma mère, l'année dernière. » Un organisé déclare avoir compté 500 francs en montrant le fond de son cabas : des petits sachets de congélation pour chaque valeur. La Banque de France recommandait à ses clients de faire le tri pour accélérer les opérations. En fait, on repère plutôt dans la file d'attente des sacs de supérette gonflés de mitraille en vrac.

Décharge. D'où l'embouteillage. Dans une petite succursale comme celle-ci, tout le personnel était sur le pont pour ce dernier jour du franc. Pour les très gros montants, au vu de la grosseur des sacs, une solution d'échange différé est proposée : les clients déposent leurs pièces sans décompte, en signant, en toute confiance, une décharge à la banque. Ils récupéreront leurs avoirs à partir de mars. Sinon, la douzaine de guichets était réquisitionnée pour les seules opérations d'échange, et des cadres parcouraient la file pour orienter les clients vers l'agence centrale du Louvre. Là-bas, c'était l'enterrement avec les honneurs : 20 guichets réservés. Où, à la mi-journée, plus de 1200 clients s'étaient délestés de leurs vieux francs.

18 février 2005

A2 LEVEL

TEST 11 : EURO

1. Lis le texte et écris un chiffre pour remplir chaque blanc.

(a) On a commencé à faire la queue devant la banque à _____ heures.

(b) La banque a ouvert à _____ heures.

(c) Aujourd'hui, Sabrina change _____ francs, mais l'année dernière c'était _____ fois plus.

(d) Celui qui a trié ses pièces a _____ francs en tout.

(e) Dans cette succursale de la Banque de France, environ _____ guichets sont ouverts aujourd'hui.

2. Lis à nouveau le texte et complète les phrases suivantes en choisissant l'option correcte.

(a) La Banque de France, Place de la Bastille était ...

    (i) vide. ☐

    (ii) presque vide. ☐

    (iii) pleine de monde. ☐

(b) Les clients sont ...

    (i) de bonne humeur. ☐

    (ii) frustrés. ☐

    (iii) riches. ☐

(c) Les clients auraient dû ...

    (i) attendre plus longtemps. ☐

    (ii) changer leurs francs il y a plusieurs mois. ☐

    (iii) demander un taux de change plus favorable. ☐

(d) La campagne de communication de la Banque de France a duré ...

    (i) quelques jours. ☐

    (ii) environ un mois. ☐

    (iii) plus de deux mois. ☐

A2 LEVEL

3. Relis les deux derniers paragraphes, puis explique ces phrases avec tes propres mots.

(a) « Les sommes en jeux sont relativement faibles. »

_____

(b) « (…) certains porteurs de valises. »

_____

(c) « (…) d'où l'embouteillage. »

_____

(d) « Tout le personnel était sur le pont. »

_____

(e) « (…) pour les très gros montants. »

_____

4. Traduis les phrases suivantes en français, en t'aidant du texte.

(a) About 200 people had been waiting since 6.00 am to change their francs for euros.

_____

_____

(b) They were well informed by the Banque de France campaign, so why had they waited till the eleventh hour?

_____

_____

(c) Most customers wanted to change only small amounts.

_____

_____

(d) Not all customers sorted their money, as the bank had asked.

_____

_____

(e) Managers directed customers to another bank, where another 20 employees were working.

_____

_____

TEST 11: EURO

1. (a) 6 ; (b) 9 ; (c) 200 / 50 ; (d) 500 ; (e) 12.

2. (a) (iii) ; (b) (i) ; (c) (ii) ; (d) (iii).

3. *Possible answers:* (a) Les gens ne changent pas beaucoup d'argent ; (b) des gens qui apportent de grosses sommes d'argent / beaucoup de pièces ; (c) Voilà pourquoi il y a une queue si longue ; (d) Tous les employés travaillaient ; (e) pour les sommes d'argent importantes.

4. (a) Environ 200 personnes faisaient la queue depuis six heures du matin pour échanger leurs francs contre des euros ; (b) Ils étaient bien informés par la campagne de la Banque de France, alors pourquoi avaient-ils attendu jusqu'à la dernière heure ? ; (c) La plupart des clients ne voulaient changer que de petites sommes ; (d) Pas tous les clients ont trié leur argent, comme avait demandé la banque ; (e) Des cadres ont orienté les clients vers une autre banque, où travaillaient encore 20 employés.

Auberges de jeunesse : plus chics et (toujours) pas chères

Relookées, elles ont relégué au rayon des antiquités les grands dortoirs collectifs au confort spartiate. Aujourd'hui, les auberges de jeunesse offrent des hébergements compétitifs qui allient petits prix et convivialité. Des atouts appréciés par toutes les tranches d'âge. (...)

Philippe Kallenbrunn

De nouvelles exigences de confort.

Partout dans le monde, ça se passe comme ça : de la cuisine à l'accueil, du bar à la laverie, des WC aux chambres, on s'apostrophe en anglais, on se rencontre en français, on plaisante en espagnol, on tâtonne en italien, on se renseigne en allemand. Ambiance cosmopolite dans ces tours de Babel à l'horizontale, qui, depuis leur apparition en France dans l'entre-deux-guerres, ont dû se résoudre à quelques concessions. Notamment pour supporter la concurrence désormais omniprésente des hôtels à bas prix, qui savent attirer les jeunes. (...) Signe des temps encore : depuis le 14 avril 2003, un écolabel européen symbolisé par une fleur, peut être attribué par l'Afnor. Il signifie que l'auberge respecte les exigences européennes en matière d'environnement.

Chambres de 6 lits au maximum, avec sanitaires.
Charme rompu ? « L'auberge de jeunesse est un concept qui évolue avec son temps, explique Edith Arnoult-Brill, la secrétaire générale de la Fédération unie des auberges de jeunesse (FUAJ), même si elle reste un lieu cosmopolite, riche d'un immense brassage de nationalités, et où l'on préserve la culture du tutoiement. Le nom auberge de jeunesse jouit d'une grande notoriété, c'est pour cela qu'il n'est pas remis en cause. Mais, dans la réalité, les établissements ont beaucoup changé. Les dortoirs de dix lits ont disparu au profit de chambres collectives de six lits au maximum, toutes pourvues de sanitaires, et dotées d'une recherche architecturale pour préserver l'intimité des

personnes. Pour les plus modernes d'entre elles, les clients peuvent même aujourd'hui y accéder par carte magnétique. » (...)

« Il vaut mieux réserver à l'avance ».
Au plan de la fréquentation, les jeunes de moins de 26 ans demeurent majoritaires. Mais les pensionnaires d'âge mûr pointent toujours leur nez, qui trouvent dans les auberges des tarifs abordables autant que des contacts sympathiques. « Parmi cette clientèle, jusqu'à 60 ou 70 ans, il y a beaucoup de randonneurs, qui venaient déjà dans les auberges il y a trente ans. » Preuve que les auberges de jeunesse ont définitivement opéré leur mue : « Il vaut mieux réserver à l'avance, surtout dans les grandes villes ou en période de congés scolaires, prévient Edith Arnoult-Brill, même si les directeurs conservent toujours une dizaine de lits pour les individuels qui se présentent au dernier moment. »

Une nuit à partir de 7,70 €.
Les auberges offrent des prix défiant toute concurrence. Le tarif varie en fonction du nombre de lits par chambre, du ratio de sanitaires et des équipements, tels que cuisine individuelle, laverie, salle de réunion, connexion à Internet, location de vélos... Dans une auberge 4 sapins, la nuit coûte 13,25 € avec le petit déjeuner. Dans une 3 sapins, il faut compter 12,30 € avec petit déjeuner et 9,30 € sans. Dans une 2 sapins, le tarif est de 8,90 €, et, dans une 1 sapin, de 7,70 €. Il faut venir avec ses draps ou son sac de couchage, mais les couvertures sont fournies. À Paris, le prix de la nuit oscille entre 19 et 20,30 €, petit déjeuner et draps inclus. Le tarif du séjour des enfants de moins de 14 ans dépend de chaque auberge. Ils peuvent payer le même prix que les adultes, bénéficier d'une réduction ou être accueillis gratuitement.

25 février 2005

A2 LEVEL

TEST 12 : TOURISME

1. Lis le texte sur les auberges de jeunesse et coche les titres de journaux qui correspondent au contenu du texte.

(a) Les endroits de rêve en France pour vos vacances	
(b) Moins chères et plus conviviales que les hôtels !	
(c) Baisse de fréquentation pour les auberges	
(d) Les auberges à l'heure de la modernité	
(e) Où se loger à l'étranger ?	

2. Dans chacune de ces phrases, souligne l'information / la partie incorrecte.

(a) Les auberges de jeunesse sont nées en France après les deux guerres mondiales.

(b) L'atmosphère y est moins sympathique qu'auparavant.

(c) Les auberges vont devoir subir des transformations importantes pour résister à la concurrence.

(d) En plus, le tarif des chambres est souvent hors de prix.

(e) Il n'est pas nécessaire de faire des réservations.

(f) Dans la plupart des auberges, le petit-déjeuner n'est jamais inclus dans le prix.

3. Maintenant, corrige ces phrases avec l'information correcte.

(a) _____

(b) _____

(c) _____

(d) _____

(e) _____

(f) _____

A2 LEVEL

4. Complète la grille des tarifs ci-dessous avec les informations manquantes. Attention, une information ne figure pas dans le texte ! Inscris alors **P.M.** (pas mentionné).

Catégorie	___ sapin(s)	2 sapin(s)	___ sapin(s)		___ sapin(s)
	7,70 €				
Petit-déjeuner		P.M.	oui		

5. Tu diriges l'Auberge du Paon, certifiée 3 sapins. Réalise ta propre affiche publicitaire, en t'aidant des informations contenues dans le texte. **(200 mots maximum)**

AUBERGE DU PAON

certifiée : 3 sapins

_____

_____

_____

_____

_____

_____

_____

_____

_____

_____

TEST 12 : TOURISME

1. (b) ; (d).

2. (a) Les auberges de jeunesse sont nées en France après les deux guerres mondiales ; (b) L'atmosphère y est moins sympathique qu'auparavant ; (c) Les auberges vont devoir subir des transformations importantes pour résister à la concurrence ; (d) En plus, le tarif des chambres est souvent hors de prix ; (e) Il n'est pas nécessaire de faire des réservations ; (f) Dans la plupart des auberges, le petit-déjeuner n'est jamais inclus dans le prix.

3. (a) entre ; (b) aussi ; (c) ont subi ; (d) abordable ; (e) il est conseillé ; (f) est souvent.

4.

Catégorie	1 sapin(s)	2 sapin(s)	3 sapin(s)		4 sapin(s)
Tarifs par chambre	7,70 €	8,90 €	12,30 €	9,30 €	13,25 €
Petit-déjeuner	P.M.	P.M.	oui	non	oui

5. *Possible ad*

AUBERGE DU PAON

certifiée : 3 sapins

Si vous aimez rencontrer des gens du monde entier, parler plusieurs langues,

la randonnée, la convivialité,

ici c'est le paradis !

Chambres de deux à six lits maximum avec sanitaires, couvertures fournies.

Confort total avec un nombre d'équipements et de services impressionnants :

location vélo, connexion Internet, cuisine, laverie, salle télé…

Chambres de 9, 30 € (petit déjeuner non compris) à 12, 30 € (petit-déjeuner inclus).

Pour les moins de 14 ans : réduction de 75%.

Attention ! Nous vous conseillons de réserver à l'avance !

Cuisine et descendance

Parents et enfants redécouvrent le plaisir de mitonner ensemble des petits plats. Une affaire de gourmandise, mais aussi de transmission du patrimoine culinaire.

Véronique Mougin, Fanny Triboulet

De la farine, du beurre, du sucre, du cacao : l'antidote d'Anne-Lise aux mercredis pluvieux et aux soirées d'hiver se nomme... le sablé au chocolat : « Je mets mon fils Ewan devant les fourneaux et j'ai une paix royale pendant des heures ! En plus, ça le valorise : à 5 ans, il est extrêmement fier de nous voir apprécier ses petits plats, même si j'ai rattrapé quelques bêtises derrière lui. » Cette mère de famille n'est pas la seule à laisser son fils jouer à la dînette pour de vrai. Selon un sondage Sofres, 30% des parents préparent le repas avec leurs enfants - et 45% avec leurs ados.

« Après la période morose des années 1980-1990, période du tout-light et du tout-prêt, la cuisine plaisir est revenue en force, explique Valérie Rozier, ingénieur en agroalimentaire et fondatrice de l'association Omni Sens, qui promeut l'éducation du goût. Les adultes ont redécouvert les valeurs hédonistes de la nourriture ainsi que l'envie de mitonner, même si c'est de façon ponctuelle. Et, comme toutes les bonnes choses de la vie, il n'y a rien de mieux que de partager cela en famille. » À voir la multiplication des livres de recettes pour enfants, cette tendance-là n'est pas près de fléchir...

« La plupart adorent mettre la main à la pâte, confirme Madeleine Deny, qui dirige la collection la Tribu des gourmands, chez Nathan, dont les ouvrages sont vendus à 30 000 exemplaires. Non seulement c'est ludique mais, comme tous les travaux manuels, la cuisine développe leur créativité. » Là où les petits trouvent l'occasion de transgresser quelques interdits (s'amuser avec la nourriture, la tripoter avec les doigts...), les grands voient donc le bonus pédagogique. (...)

Certes, tous les enfants ne croient pas que les poissons sont carrés, mais certains « ont de grosses lacunes, constate Valérie Rozier. Ils pensent que le lait vient du magasin et pas du pis de la vache. D'autres ne font pas le rapprochement entre les carottes cuites et les carottes râpées. Mitonner ensemble est l'occasion de leur apprendre les variétés, les couleurs, les terroirs... Et, surtout, de les faire participer. Car, en matière de cuisine, la connaissance est aussi sensorielle et la transmission passe également par le geste. » Pétrir la pâte et en ratiboiser les bords afin qu'elle tienne dans le moule, monter un blanc en neige, faire sauter une crêpe... voilà en effet qui ne s'explique pas. « En me regardant faire une tarte, mon fils a compris comment on épluchait les pommes, et qu'elles avaient des pépins, note Anne-Lise. Pendant ce temps, on discute de plein d'autres choses que de la nourriture: de l'école, de ses copains. C'est un prétexte à un moment d'intimité. »
Conclusion : mitonner en famille n'a que du bon. (...)

L'EXPRESS
21 février 2005

A2 LEVEL

TEST 13 : LOISIRS

1. Lis le texte et trouve un titre à chaque paragraphe parmi ceux proposés. Indique à quel paragraphe il correspond en notant le numéro du paragraphe (1 à 4). Attention, il peut y avoir plusieurs titres pour un paragraphe.

(a) Après les restrictions diététiques, place au plaisir dans la cuisine	
(b) Un exemple parmi un bon nombre d'autres	
(c) La cuisine est une activité pédagogique	
(d) Un bon moyen pour lutter contre l'ennui !	
(e) Toucher, malaxer… : les enfants adorent	
(f) Cuisiner en famille pour rapprocher parents et enfants	
(g) Chef à 5 ans !	

2. Complète ce résumé avec les mots de la liste. N'oublie pas de les mettre à la forme correcte (genre, nombre, temps, personne…).

En France, de plus en plus de parents (i) _____ les avantages de cuisiner avec

(ii) _____ enfants. S'il s'agit d'un bon moyen (iii) _____ lutter contre l'ennui, la

préparation des repas (iv) _____ d'autres avantages. Les (v) _____ développent

leur créativité, ils apprennent l'origine des aliments, les couleurs (vi) _____ surtout ils peuvent

(vii) _____ des moments (viii) _____ avec leurs parents. Et (ix)

_____ aux livres de recettes pour les petits, (x) _____ le nombre augmente, les

enfants deviennent de (xi) _____ cordons bleus !

privilégié	de
leur	partager
enfant	dont
vrai	avoir
redécouvrir	grâce
et	

A2 LEVEL

3. Réponds aux questions suivantes avec tes propres mots.

(a) Quelle est la dernière tendance en matière de cuisine ?

_____

_____

(b) À ton avis, pourquoi les enfants sont-ils fiers de cuisiner pour leurs parents ?

_____

_____

(c) Qui est Valérie Rozier ?

_____

_____

(d) Quelle était l'attitude des adultes face à la cuisine dans les années 1980-1990 ?

_____

_____

(e) Quel élément montre que de plus en plus de parents cuisinent avec leurs enfants ?

_____

_____

(f) De quoi s'occupe Madeleine Deny ?

_____

_____

(g) Normalement, qu'est-ce que les enfants n'ont pas le droit de faire avec la nourriture ?

_____

_____

(h) Pourquoi est-ce une bonne chose de faire participer les enfants à la cuisine ?

_____

_____

TEST 13 : LOISIRS

1. (a) paragraphe 2 ; (b) paragraphe 1 ; (c) paragraphe 4 ; (d) paragraphe 1 ; (e) paragraphe 3 ; (f) paragraphe 4 ; (g) paragraphe 1.

2. (i) redécouvrent ; (ii) leurs ; (iii) de ; (iv) a ; (v) enfants ; (vi) et ; (vii) partager ; (viii) privilégiés ; (ix) grâce ; (x) dont ; (xi) vrais.

3. *Possible answers:* (a) En matière de cuisine, la dernière tendance est de faire participer les enfants / de cuisiner en famille ; (b) Les enfants sont fiers de cuisiner pour leurs parents parce qu'ils peuvent leur montrer qu'ils sont capables de créer, de faire quelque chose, comme les plus grands ; (c) Valérie Rozier travaille dans l'agroalimentaire et a fondé une association Omni Sens, pour éduquer le goût des enfants ; (d) Dans ces années-là, les adultes consommaient des aliments allégés et déjà tout préparés. Ils ne cuisinaient pas de la même façon et ne prenaient pas de plaisir ; (e) On peut voir que de plus en plus de parents cuisinent avec leurs enfants puisque le nombre de livres de recette pour enfants ne cesse d'augmenter ; (f) Madeleine Deny travaille chez Nathan qui publie des livres. Elle s'occupe de la collection 'La Tribu des gourmands' ; (g) Normalement, on interdit aux enfants de jouer avec la nourriture, de la toucher, de s'amuser avec ; (h) Faire participer les enfants à la cuisine est une bonne chose car cela permet de leur enseigner différentes choses, tout en s'amusant ; par exemple, comment on produit le lait, découvrir des aliments, comment ont fait les crêpes... Cela permet aussi de rapprocher les enfants et les parents.

Racontez-vous votre vie sur les blogs ?

Contraction de web et de log (carnet, en anglais), le blog est une sorte de journal intime accessible à tous les internautes. Cette tribune virtuelle permet-elle une ouverture au monde ?

Fred Chouraki

Oui « J'aime bien cette idée de communauté virtuelle »

« Je suis un grand adepte du blog. Au début, son côté kitsch m'amusait. J'ai commencé par écrire mes expériences personnelles, des blagues. C'était le moyen d'avoir ma part d'Internet à moi, car les blogs sont gratuits et faciles d'accès. On obtient des réactions immédiates sur ce qu'on écrit. C'est stimulant, même si le blog n'a, à priori, pas de vocation littéraire ou artistique. J'aime bien cette idée de communauté virtuelle, de grande famille. C'est d'ailleurs par ce biais que j'ai rencontré ma copine. Je l'ai repérée sur son blog, puis on a commencé à discuter sur messagerie, avant de se voir. Cela permet aussi de prendre des nouvelles des gens que l'on connaît. »

Maxime, 21 ans, étudiant en informatique.

Non « C'est un moyen égocentrique pour se mettre en valeur »

« Les blogs sont un phénomène de mode, qui ne durera pas. Je n'arrive pas à comprendre comment on peut déballer sa vie privée sur Internet à des inconnus. Ces gens-là doivent se sentir très seuls, ils devraient consulter un psy. (…) La plupart des blogs sont d'ailleurs complètement vides, inintéressants, avec des gamines de 14 ans qui montrent la photo de leur chat et racontent leurs petites histoires d'amour. C'est un moyen égocentrique de se mettre en valeur, de parler de soi. La popularité des blogs reflète le manque de communication dans notre société. »

Éléna, 17 ans lycéenne.

Non « C'est la porte ouverte à n'importe quoi »

« Beaucoup de gens se sentent insignifiants. Le blog est un moyen, pour eux, de prouver qu'ils existent. C'est pitoyable. Les blogs sont de plus en plus détournés. (…) On les repère à leurs titres explicites, et ils sont, dans l'ensemble, de qualité moyenne et cheap. Ce sont des fragments de vie exposés dans des couleurs criardes, avec des photos moches, mal cadrées. Cela donne l'impression d'être un artiste parce que l'on s'expose potentiellement à un nombre important de visiteurs. C'est la porte ouverte à n'importe quoi. »

Antoine, 22 ans, étudiant en photographie.

Oui « Chacun dévoile sa vraie personnalité »

« J'ai créé mon propre blog et je consulte celui des autres. J'aime bien son côté ludique et libre. Je l'utilise surtout pour montrer mes photos après des vacances ou une soirée, et j'y ajoute des commentaires, des anecdotes. J'ai des amis un peu partout dans le monde qui peuvent se tenir au courant de ma vie. On est à un âge où beaucoup s'éloignent de chez eux, changent d'école. Les blogs nous permettent de garder le contact. En plus, chaque blog possède un système de liens qui permet de rencontrer des amis qui partagent nos goûts. Grâce aux blogs, beaucoup de gens se sentent moins seuls. »

Alix, 16 ans, lycéenne.

l'Etudiant

Décembre 2004-Janvier 2005

A2 LEVEL

TEST 14 : INTERNET

1. Lis le texte et réponds aux questions suivantes en choisissant parmi l'une des trois réponses proposées.

(a) Quel est le thème de l'article ?

    (i) les problèmes que pose Internet. ☐

    (ii) les journaux intimes sur Internet. ☐

    (iii) la qualité des photos numériques. ☐

(b) Qui est à l'université ?

    (i) les quatre personnes interrogées. ☐

    (ii) les deux filles. ☐

    (iii) Maxime et Antoine. ☐

(c) Qui n'a pas encore passé le Bac ?

    (i) aucune des personnes interrogées. ☐

    (ii) Alix et Éléna. ☐

    (iii) Antoine. ☐

2. Termine chaque phrase selon le sens du texte.

(a) Les amis d'Alix peuvent _____

_____

_____

(b) Selon Antoine et Éléna, les gens _____

_____

_____

(c) Grâce au blog, Maxime _____

_____

_____

(d) Sur un blog, on peut _____

_____

_____

(e) Un des problèmes avec les blogs, _____

_____

_____

(f) Un des points positifs des blogs, _____

_____

_____

A2 LEVEL

3. **Complète le résumé ci-dessous avec les verbes de la liste, en les mettant à la forme correcte (forme, temps, accord...). Attention, chaque verbe ne peut être utilisé qu'une seule fois.**

Le blog (a) _____ une nouvelle forme de journal intime qui peut être (b) _____ par un grand

nombre de personnes puisqu'on l' (c) _____ sur Internet.

Cette forme de communication (d) _____ des avantages et des inconvénients. Grâce au blog, on

(e)_____ raconter sa vie et (f) _____ des photos. Si les amis ou la familles sont (g) _____, cela

(h) _____ aussi de garder contact. Enfin, le blog (i) _____ aussi un lieu de rencontre pour se faire des

amis.

Toutefois, certaines personnes (j) _____ la qualité des blogs et (k) _____ qu'on ne

(l)_____ pas raconter sa vie privée. Pour eux, le blog (m) _____ le manque de communication

dans notre société.

> *lire – devoir – afficher – montrer – critiquer – permettre –*
>
> *devenir – être – penser – éloigner – refléter – avoir –pouvoir*

4. **Translate into English Alix's opinion, from « J'ai des amis un peu partout... » to « ... se sentent moins seuls. »**

_____

_____

_____

_____

_____

_____

_____

_____

_____

TEST 14 : INTERNET

1. (a) (ii) ; (b) (iii) ; (c) (ii).

2. (a) se tenir au courant de sa vie, regarder ses photos de vacances ou de fêtes et lire ses commentaires ; (b) qui écrivent des blogs se sentent mal dans leur peau (ils se sentent insignifiants et se sentent seuls) ; (c) a l'impression de posséder une part d'Internet, et il a aussi rencontrer sa petite amie ; (d) écrire, raconter ses expériences, ce que l'on fait, raconter des blagues, montrer des photos, parler de ses goûts, rencontrer des gens ; (e) c'est que le contenu est souvent superficiel et la qualité n'est pas bonne ; (f) c'est que ça permet de se rapprocher des gens.

3. (a) est ; (b) lu ; (c) affiche ; (d) a ; (e) peut ; (f) montrer ; (g) éloignés ; (h) permet ; (i) devient ; (j) critiquent ; (k) pensent ; (l) doit / devrait ; (m) reflète.

4. I have friends almost everywhere in the world who can be informed of what is going on in my life. We reach an age at which many of us live far from home, change school. The blogs enable us to keep in touch. Moreover, each blog has got a links' system which allows us to meet friends who share our likes. Thanks to the blogs, many people feel less lonely.

A2 LEVEL

Le permis de conduire à 16 ans ?

La route est la première cause de mortalité entre 14 et 18 ans. À côté de la baisse du coût du permis pour les jeunes, défendue par le gouvernement, d'autres militent pour en abaisser l'âge.

Éric Mettout

Pour

Robert Namias, Président du Conseil national de la sécurité routière : « Ce devrait être un diplôme délivré à l'école »

La route est affaire de maturation, pas seulement de maturité. Plus on a d'expérience, plus on assimile la notion de danger. Évidemment, les jeunes ont moins d'expérience. C'est ce déficit qu'il faut pallier, à travers l'Éducation nationale en particulier.

Le permis de conduire - je propose donc qu'on puisse désormais le passer dès 16 ans - n'est que la partie visible de l'iceberg. Le volet pédagogique de mes propositions est beaucoup plus important, car on ne réussira à long terme une vraie politique de sécurité routière que lorsqu'on aura mis en place une vraie politique de formation à la route. Le permis à 16 ans n'en est que la conséquence ultime et logique.

Je propose que la sécurité routière devienne une matière à part entière, obligatoire, intégrée aux programmes et sanctionnée par un diplôme, le permis de conduire - ce qui, par ailleurs, en réduirait le coût pour les candidats. Les enseignants me rétorqueront, à raison, que ce n'est pas leur rôle. En revanche, c'est celui de l'école. Il faudra former des professeurs ou faire appel à des intervenants contractuels.

Les opposants à ma proposition rappellent que le taux d'accidents est plus élevé chez les jeunes. Mais justement ! Si on leur délivrait un véritable enseignement, ils se sentiraient plus concernés et accepteraient plus facilement la sécurité routière et ses contraintes. Il faut leur montrer qu'en ne respectant pas certaines règles, on se tue. Et que certains gestes sauvent.

Le permis à 16 ans fait peur aux pouvoirs publics : à cause de l'immaturité des jeunes, parce que cette politique aurait un coût élevé pour l'État, parce que le corps enseignant est plus que réservé. On dit que les jeunes ne sont ni mûrs ni raisonnables, qu'il faut les éduquer: cessons d'être hypocrites et donnons-nous en les moyens. (…)

Contre

Vincent Julé, Vice-président de l'association Victimes et citoyens contre l'insécurité routière : « À 16 ans, on est moins mûr et moins responsable qu'à 18 »

Robert Namias a formulé sa proposition d'autoriser le permis de conduire dès 16 ans sans en référer aux membres du Conseil national de la sécurité routière, dont il est pourtant le président. Il a expliqué que cette mesure diminuerait le nombre des jeunes qui conduisent sans permis - un problème réel : il aurait augmenté de 60% l'an dernier. Ou qu'elle réduirait les coûts du permis de conduire. En l'espèce, M. Namias aurait mieux fait de défendre le principe d'un emprunt à taux zéro à l'intention des candidats.

Le permis actuel n'incite pas à commencer l'éducation routière suffisamment tôt, comme en Suède, où les enfants sont sensibilisés dès leur plus jeune âge. Intégrer effectivement la sécurité routière dans le cursus scolaire, passer le « code » à l'école : tout n'est pas à jeter dans ce que propose M. Namias - même s'il ne dit pas qui serait chargé de cette nouvelle matière, alors que les professeurs ne sont déjà pas formés aux attestations scolaires de sécurité routière (ASSR), délivrées en classes de cinquième et de troisième. Mais, quand il parle de conduire sans accompagnement à partir de 16 ans, il déraille. (…)

À 16 ans, on est moins responsable qu'à 18. Adolescent, on cherche à s'affirmer, à repousser ses limites. Le nombre de tués sur la route entre 14 et 18 ans est déjà indécent. C'est la principale cause de mortalité chez les jeunes de cet âge, alors qu'ils n'ont accès qu'à des deux-roues de puissance limitée. Et la majorité des accidentés sont victimes de leur propre comportement. Vous imaginez ce qu'il en serait s'ils pouvaient conduire des voitures ? (…)

L'EXPRESS

21 février 2005

A2 LEVEL

TEST 15 : SÉCURITÉ ROUTIÈRE

1. Lis la première partie de cet article (jusqu'à « … donnons-nous en les moyens (…) »). Indique parmi les phrases suivantes celles qui correspondent au sens du texte, en cochant les cases.

(a) Robert Namias est tout à fait en faveur d'un abaissement de l'âge de l'obtention du permis de conduire. ❑

(b) Selon Robert Namias, c'est aux établissements scolaires de prendre en charge la formation des jeunes à la conduite. ❑

(c) La politique actuelle de formation à la route est tout à fait satisfaisante. ❑

(d) La sécurité routière devrait faire partie du programme d'études scolaires et le permis de conduire devrait être un diplôme remis après avoir réussi l'examen. ❑

(e) Les enseignants ont tort de dire que ce n'est pas leur rôle de former les élèves à la sécurité routière. ❑

(f) Le problème actuel c'est que les jeunes conduisent trop vite sur la route. ❑

(g) L'État soutient cette proposition. ❑

2. Lis le reste de cet article et décide si les affirmations suivantes sont vraies (V), fausses (F) ou pas mentionnées (PM).

(a) L'association de Vincent Julé s'occupe entre autre des personnes victimes des accidents de la route.	
(b) On estime que le nombre de jeunes victimes de la route a augmenté de 60%.	
(c) Vincent Julé approuve certaines des mesures proposées par Robert Namias.	
(d) Les attestations scolaires de sécurité routière sont obligatoires au collège.	
(e) Vincent Julé pense que les jeunes de 16 ans n'ont pas encore acquis assez de maturité pour pouvoir conduire une voiture tous seuls.	
(f) En Suède, il y a moins de jeunes tués sur la route.	
(g) Chez les 14-18 ans, ce sont les accidents de la route en motocyclettes qui font le plus de victimes.	

A2 LEVEL

3. Avec tes propres mots, explique les phrases / expressions ci-dessous.

(a) « Plus on a d'expérience, plus on assimile la notion de danger. »

_____

(b) « Si on leur délivrait un véritable enseignement, ils se sentiraient plus concernés (…). »

_____

(c) « Robert Namias a formulé sa proposition (…) sans en référer aux membres du Conseil national de la sécurité routière dont il est pourtant le président. »

_____

(c) « Robert Namias a formulé sa proposition (…) sans en référer aux membres du Conseil national de la sécurité routière dont il est pourtant le président. »

_____

(d) « Le nombre de tués sur la route entre 14 et 18 ans est déjà indécent. »

_____

4. Translate the following extract into English.

« Je propose que la sécurité routière devienne une matière à part entière, obligatoire, intégrée aux programmes et sanctionnée par un diplôme, le permis de conduire – ce qui, par ailleurs, en réduirait le coût pour les candidats. Les enseignants me rétorqueront, à raison, que ce n'est pas leur rôle. En revanche, c'est celui de l'école. »

_____

_____

_____

_____

_____

_____

_____

_____

TEST 15 : SÉCURITÉ ROUTIÈRE

1. (a) ; (b) ; (d).

2. (a) V ; (b) F ; (c) V ; (d) PM ; (e) V ; (f) PM ; (g) V.

3. *Possible answers:* (a) Dans le cas de la conduite, plus on conduit une voiture, plus on est conscient des dangers qui nous entoure. En étant conducteur on se rend mieux compte des problèmes que quand on est simple passager ; (b) La manière dont le permis de conduire est enseigné fait que les jeunes ne prennent pas cela au sérieux. Si c'était une matière scolaire, avec des examens, des cours etc…, cela montrerait aux jeunes que c'est une matière importante et donc ils changeraient d'attitude ; (c) Robert Namias est président du Conseil mais il n'a pas consulté, parlé ou informé les membres de ce Conseil de la proposition qu'il vient de faire ; (d) Chez les 14-18 ans, il y a déjà trop de morts sur la route ; c'est choquant et intolérable.

4. My proposal is that road safety should become a subject of its own, which should be compulsory, integrated to the curricula and leading to a diploma, the driving licence – the cost of which would, besides, decrease for the candidates. Teachers will answer, and rightly so, that this is not their role. However, it is the role of school.